FRANCISCO

Um papa do fim do mundo

Gianni Valente

FRANCISCO

Um papa do fim do mundo

A pessoa, as ideias, o estilo

TRADUÇÃO
Fulvio Lubisco

Jardim dos Livros

Título original:
FRANCESCO
Un papa dalla fine del mondo

1ª edição — Maio de 2013

Grafia atualizada segundo o Acordo Ortográfico da Língua Portuguesa de 1990, que entrou em vigor no Brasil em 2009

Editor e Publisher
Luiz Fernando Emediato

Diretora Editorial
Fernanda Emediato

Editor
Paulo Schmidt

Produtora Editorial e Gráfica
Erika Neves

Capa, Projeto Gráfico e Diagramação
Alan Maia

Revisão
Josias A. Andrade

DADOS INTERNACIONAIS DE CATALOGAÇÃO NA PUBLICAÇÃO (CIP)
(Câmara Brasileira do Livro, SP, Brasil)

Valente, Gianni
Francisco, o Papa do fim do mundo / Gianni Valente; [tradução] Fulvio Lubisco. -- São Paulo : Geração Editorial, 2013.

Título original: Francesco, un Papa dalla fine del mondo
Bibliografia
ISBN 978-85-63420-48-0

1. Francisco, Papa, 1936- 2. Igreja - História 3. Papado - História 4. Papas 5. Papas - Entrevistas I. Título.

13-05521 CDD: 262.1309

Índices para catálogo sistemático

1. Papas : História : Eclesiologia : Cristianismo 262.1309

EMEDIATO EDITORES LTDA
Rua Major Quedinho, 111 — 20 andar
CEP: 01050-904 — São Paulo — SP

DEPARTAMENTO EDITORIAL E COMERCIAL
Rua Gomes Freire, 225 — Lapa
CEP: 05075-010 — São Paulo — SP
Telefax.: (+ 55 11) 3256-4444
Email: jardimdoslivros@geracaoeditorial.com.br
twitter: @jardimdoslivros

Impresso no Brasil
Printed in Brazil

Índice

Introdução

Neste livro estão reunidas as entrevistas com o cardeal Jorge Mario Bergoglio, publicadas na revista internacional *30 Giorni*, no período de 2002 a 2009. Foram introduzidas em uma reportagem publicada na mesma revista com o título "*Gli amici di padre Bergoglio. Poveri, preti e santi nelle Villas Miseria di Buenos Aires*" [Os amigos de padre Bergoglio. Pobres, sacerdotes e santos nas favelas de Buenos Aires], que relata uma realidade eclesiástica pela qual o atual sucessor de Pedro tem muito apreço.

Conheci o cardeal Bergoglio em janeiro de 2002. Eu havia viajado para Buenos Aires para uma reportagem sobre a crise econômica que levou ao fundo do poço o país que até então possuía a mais consistente classe média da América do Sul. Relatou-me esse momento não com a imagem barulhenta e irada dos panelaços e das manifestações de rua, mas com a íntima e plena dignidade das mães e dos pais que haviam perdido seus empregos, chorando à noite escondidos enquanto seus filhos dormiam e ninguém os via.

Com o passar do tempo cresceu em mim, em minha família e em alguns amigos a gratidão por sua paternidade espiritual experimentada como uma companhia íntima e sempre surpreendente em nossa vida. Em suas narrativas sempre percebemos simplesmente o consolo do pastor de almas diante dos milagres que Cristo opera entre seus prediletos, a começar pelos pobres. Assim também nasceram ideias e intuições que, depois, confluíram em artigos e entrevistas. Como aqueles dedicados às iniciativas que a arquidiocese de Buenos Aires favorecia a fim de facilitar a aproximação de todos ao batismo e aos outros sacramentos, nas quais se percebe, sem muitos discursos, a intimidade de Bergoglio com o mistério da Igreja.

No que faz e diz, repete apenas uma coisa: que a Igreja vive e opera com o poder da graça. Certa vez, Bergoglio explicou: "Jesus não fez proselitismo: ele acompanhou. E as conversões que provocava ocorriam precisamente por essa sua solicitude em acompanhar, o que nos torna irmãos, nos torna filhos, e não sócios de uma ONG ou prosélitos de uma multinacional". Uma dinâmica de proximidade e libertação que tem sua expressão objetiva e duradoura no dom dos sacramentos. Por isso, é necessário facilitar, de qualquer forma, o batismo daqueles — crianças, rapazes, adultos — que, por diversas circunstâncias da vida, no novo contexto de secularização, não são batizados. Sem agregar condições àquela contemplada pelo código de direito canônico, ou seja, que sejam os pais a solicitar o batismo para os filhos menores, abandonando todos os velhos e novos clericalismos que "afastam o povo de Deus da salvação".

Agora que Bergoglio inicia seu ministério de bispo de Roma e sucessor de Pedro, prevalece, sobretudo, a confiança de que bastará ouvir suas palavras sedutoras e ver seus gestos simples para reconhecer com júbilo que o Senhor ama Sua Igreja e cuida dela.

A oração é para que o caminho junto com o papa Francisco seja como um alento sereno e profundo para toda a Igreja de Cristo e uma boa promessa para todos os homens de boa vontade.

g.v.

O "fim do mundo" de padre Bergoglio

"Opção preferencial pelos pobres", com fatos

O encontro está marcado para domingo ao meio-dia, em frente à igreja Virgen de Caacupé. "Procissão e missa de cura e libertação", prometia o panfleto distribuído também nos casebres mais pobres de Villa 21. No início, são pouco mais de duzentas pessoas, mas muitas outras vêm se juntar à medida que o cortejo, com o bispo auxiliar Óscar à frente, percorre o labirinto de ruelas enlameadas e abarrotadas de canos de água, cabos de iluminação soltos e pendurados e carcaças carbonizadas de automóveis. Na festa de São Pantaleão, médico e mártir, que ocorre no meio do inverno argentino, é preciso pedir proteção contra a gripe, o vírus da influenza, contra a pneumonia e outras doenças da estação. Mas não é só isso. "Que todos espiem em seus corações e enxerguem o que está ocorrendo", é o convite feito pelo padre Pepe durante a missa, na pracinha incrivelmente abarrotada. "Reconheçamos que somos todos pecadores e que precisamos do Senhor para nos curar; por aqueles que estão doentes do corpo e da alma, por aquele que está preocupado e passando por um problema sério, peçamos à nossa mãe, Nossa Senhora de Caacupé, que nos ajude a obter a saúde da qual nosso bairro tanto precisa."

Ao final da missa, os mais velhos se colocam em fila para receber a unção dos enfermos, para que o "Espírito Santo do perdão nos cure e nos livre de toda doença (...) É como escreve Santiago: a oração feita com fé salvará o doente".

O poeta Charles Péguy, pensando talvez na parábola do fariseu e do publicano, escreve que o rico, quando reza, fala, enquanto o pobre pede coisas que servem para a vida: a paz na família e no mundo, a cura de um ente querido, a saúde da alma e do corpo. Nas favelas argentinas, a meio caminho entre amontoados de barracos e bairros operários, não é difícil adoecer. Na Villa 21 há também o Riachuelo, o "rio mais nojento e mais poluído do mundo" — dizem as pessoas locais —, que flui ao lado, empesteando o ar com seus miasmas. Uma parte da Villa 21 cresceu sobre montanhas de lixo dos aterros ilegais; só Deus sabe o que há ali embaixo. Quando, todos os dias, várias vezes ao dia, os trens de carga cortam, sem pedir licença, o emaranhado de estradas de terra, as paredes dos barracos tremem como papelão, e de vez em quando alguém — quase sempre crianças ocupadas em suas brincadeiras nas ruas — acaba perdendo as pernas. Além disso, há outras doenças, as mesmas que assolam as aglomerações marginais de tantas periferias urbanas do sul do mundo: as crianças devastadas pelo *paco,* a droga dos pobres, feita com os resíduos da fabricação de cocaína; os meninos de rua; os bêbados que surram suas esposas; as mil histórias de vidas que descarrilaram; as famílias destruídas;

o fracasso dos tantos que já desistiram. Inclusive aquelas pessoas que a crise econômica de 2001 pôs na rua depois que os bancos, com suas taxas de juros, roubaram suas casas.

São tantas as pessoas que precisam de cura. Mas, junto com tudo isso existe também uma boa corrente de vida, uma linha de cura que, com o tempo, se expande nos dias desordenados e cansativos dos favelados.

"Foi padre Pepe", dizem todos. Dizem, por exemplo, que desde que padre José "Pepe" Di Paola chegou a Caacupé com seus amigos — padre Facundo, dom Charly, o diácono Juan e todos os outros —, as pessoas já não se matam nas ruas. Os paraguaios não se enfrentam mais com os bolivianos a facadas. Mas se lhe dizem isso, padre Pepe disfarça com sua risada forte e contagiosa. Ele replica: "Nós não inventamos nada, apenas acompanhamos os paraguaios que hoje habitam a Villa 21 e os santos que trouxeram de seus vilarejos quando aqui chegaram". Com eles Pepe também aprendeu que nada se consegue sem a harmonia entre a

Virgem e os santos. E antes dele, padre Daniel havia aprendido o mesmo.

Entre revoluções e devoções

Nas canções populares do bairro, ele é lembrado como o anjo da bicicleta, sobre a qual, no início da década de 1990, morreu atropelado por um ônibus. Por outro lado, os murais espalhados pela favela o retratam com os braços abertos obstruindo o caminho das escavadoras encarregadas de derrubar os barracos dos favelados. Era o ano de 1978 e o regime havia decidido fazer uma limpeza na cidade antes da Copa do Mundo. A operação era chamada de Plano de Erradicação. Daniel de la Sierra, o sacerdote claretiano que construíra a igreja de Virgen de Caacupé em Villa 21, se colocou, com seu corpo indefeso, no meio da estrada a título de resistência passiva contra a violência dos tratores. E, tal como ele, os outros sacerdotes da equipe o imitavam na favela.

Aqueles sacerdotes que, durante o Concílio, já haviam escolhido se estabelecer nas favelas de

Buenos Aires, que inchavam de imigrantes provenientes, na maior parte, do Paraguai, da Bolívia e das províncias pobres do norte da Argentina (Tucumán, Santiago del Estero, Jujuy, Salta, Misiones, Corrientes), para confessar o amor de Cristo junto aos *cabecitas negras*,[1] compartilhar e participar em tudo da vida daqueles que o resto da cidade considerava gente ruim, vagabundos perigosos e malandros dos quais era preciso manter distância.

Os padres de favelas eram sacerdotes do Terceiro Mundo que iam para a favela a fim de testemunhar que Cristo estava com os pobres. Queriam se envolver, com atitude generosa, nas lutas populares daqueles anos. Porém, quando chegaram e as pessoas perceberam que eram padres, começaram os pedidos: "Olá, padre, tenho dois filhos que precisam ser batizadas", "Quando começa o catecismo?", "Haverá missa no próximo domingo?". Jorge Vernazza, um dos pioneiros, que faleceu em

---

1 Termo pejorativo, racista, referente a pessoas de pele escura e baixa condição social. (N. do E.)

1997, escreveu no livro que conta a história dessas pessoas:

> A surpresa era comparável apenas à nossa ignorância com respeito aos anseios reais das pessoas (...) Às vezes conversávamos sobre a busca de uma "fé autêntica", porém, esperávamos muito mais dos "grupos de reflexão evangélica" que dos tradicionais métodos de difusão da fé (...) A realidade das pessoas das favelas, com as quais nos envolvíamos com generosidade e sem preconceitos, acabou por abrir nossos olhos diante da riqueza da própria devoção do povo.

Assim, os padres das favelas começaram a construir capelas com nomes inequívocos (Santa María Madre del Pueblo, em Bajo Flores, Cristo Obrero em Villa de Retiro, Cristo Liberador, em Villa 30), para celebrar batizados, casamentos e funerais, recitar rosários, organizar procissões, ao mesmo momento que trabalhavam todos os dias para sustentar as necessidades materiais e político-sociais dos moradores das favelas: comitê da água, do esgoto e da eletricidade, para, assim, fazer chegar às favelas um mínimo de assistência sanitária, resistência organizada aos planos de demolição periodicamente implantados pelos diversos regimes militares, cooperativas imobiliárias, restaurantes populares etc.

Alguns desses padres das favelas não escondiam o próprio e explícito apoio à esquerda peronista: em 1972, no avião que levava Perón de volta à Argentina para seu último e efêmero retorno ao poder, viajavam também padre Vernazza e Carlos Mugica, o sacerdote mártir de Villa Retiro, que, em 11 de maio de 1974, foi morto por balas de paramilitares quando voltava para casa depois de ter celebrado uma missa. Mas a própria imanência da vida real das favelas expunha-os a muita incompreensão e opiniões contrárias. Havia quem os considerasse subversivos de batina, contaminados pela propaganda marxista. Por outro lado, mesmo os intelectuais da esquerda xenófila, inclusive os da matriz eclesiástica, não continham seu ilustrado desprezo pelos *favelados*, considerados tão presos às suas necessidades primárias a ponto de não encontrar tempo para insurreição. E, por extensão, desprezo por seus sacerdotes, ocupados que estavam com seus rosários e Nossas Senhoras, missas e confissões. "Pretendem fazer a revolução peregrinando até Nossa Senhora de Luján", ironizavam quando, ao final da década de 1970, os padres das favelas — por sugestão de uma mãe de família da capela de Bajo Flores — organizaram a primeira peregrinação anual das favelas ao santuário mariano nacional, a cinquenta quilômetros da capital. Pepe declara: "Naqueles anos, esse foi o ponto máximo da incompreensão entre os sacerdotes de Buenos Aires e o progressismo mal entendido por alguns prelados que, provavelmente, procediam da Europa com certa mentalidade "ilustrada". De um lado, havia quem havia visto e seguido a fé do povo, sua maneira de vivê-la e de expressá-la; do outro lado havia a arrogância de quem chegava de fora para dar lições".

"O bispo está conosco"

A partir de meados da década de 1980, os *slogans* com os quais era promovida a carreira eclesiástica também mudavam na América Latina. Passaram a ser apreciadas as pessoas que polemizavam com a teologia da libertação. Nas análises dos novos conferencistas eclesiásticos atuais, inclusive os que flertavam com o crescente liberalismo, também os padres das favelas passaram a ser considerados como um reflexo local do terceiro-mundismo católico em via de extinção.

Mas as favelas de Buenos Aires e de todas as metrópoles argentinas continuam a existir. Passado o tempo feroz da ditadura, tornaram a inchar com a massa de novos pobres, inclusive os produzidos durante os últimos anos da miragem liberalista, ao final da década de 1900. Os padres das favelas continuavam a participar da vida e das dificuldades diárias do povo que haviam escolhido acompanhar.

Em seus bairros da periferia, onde os taxistas não entram e nem a polícia se aventura, permanecem fiéis aos gestos mais simples da fé de seu povo: continuam a recitar rosários, a construir capelas, a celebrar todas as festas de Nossa Senhora. Quase sem querer, seguem guardando tesouros de devoção que outros parecem ter perdido, entre um programa de conscientização e uma estratégia de hegemonia cultural.

"Um ícone em cada casa, um pequeno altar em cada cruzamento": era o que tinha em mente para a sua favela Rodolfo Ricciardelli, um dos fundadores do Movimento dos Sacerdotes do Terceiro Mundo e que também foi um dos primeiros membros da equipe dos padres das favelas, falecido em 13 de julho de 2008, após dois anos doente. Foi lembrado pelo cardeal Bergoglio ao celebrar seu funeral na Igreja de Bajo Flores, com a presença dos residentes do bairro — crianças, velhinhas, operários, os velhos e novos companheiros, o grupo de novos padres, com idades entre 30 e 40 anos que hoje trabalham nas favelas e continuam trilhando o caminho iniciado por Mugica, Vernazza, Ricciardelli, padre Daniel de la Sierra. E parecem tudo, menos herdeiros nostálgicos de uma época eclesiástica que ficou no passado. "O tempo que passa torna as coisas mais claras", explica Guglielmo, pároco de

Villa Retiro, na igreja de Cristo Obrero onde o padre Carlos Mugica está sepultado.

> É possível perceber que, também para os antecessores, o critério era o Evangelho. Amar os pobres e viver com eles, como fez Jesus. Para alguns deles, naquele tempo difícil, isso significava envolver-se também nas lutas políticas. Contudo, isso dizia respeito às circunstâncias da época.

Agora, decantados os resíduos ideológicos, aparecem equívocos e mal-entendidos a respeito do trabalho dos padres das favelas, enquanto floresce providencial proximidade.

Padre Gustavo, pároco de Villa Fátima, esclarece: "Nós trabalhamos com o mesmo espírito de quem nos precedeu. As situações e os problemas são diferentes, mas unem-se a eles o mais importante: a admiração e a dedicação à fé do povo e suas devoções".

Depois de tantas incompreensões, inclusive eclesiais, a seu lado está o bispo. Conta Gustavo:

> Padre Bergoglio manifesta com seu estilo a opção preferencial pelos pobres. Ele instituiu

muitas novas paróquias nos bairros operários. Foi ele quem me propôs ser sacerdote de uma das favelas, assim como pediu a outros padres recém-saídos do seminário.

Há três anos, os padres das favelas eram menos de dez; agora são cerca de vinte, e quase todos jovens. De vez em quando, o arcebispo sai da cúria da *Plaza de Mayo*, pega o metrô, depois um ônibus e visita uma ou outra favela para abençoar lares, celebrar batizados e crismas, inaugurar capelas e festejar um santo ou a Virgem a quem é dedicada a paróquia. Às vezes se detém para comer com ele o *locro*, a sopa de carne e milho que cozinham ao ar livre em enormes panelas. E enquanto isso fica animado, como um pai que olha para seus filhos que brincam, porque "faz bem à alma ver o que o Senhor sabe fazer no meio de seus filhos prediletos".

Peça a São Caetano

Na última festa de São Caetano, durante a homilia, padre Bergoglio transmitiu essa solicitação a todos aqueles que estavam à sua frente: uma parte de centenas de milhares de argentinos que, como todos os anos, se dirigem ao bairro periférico onde se situa o santuário, abarrotando-o, a fim de pedir uma graça ao santo do pão e do trabalho, ou em agradecimento por uma graça recebida. "Eu lhes pergunto: a Igreja é um lugar aberto apenas para os bons?"; e todos respondem em coro: "Nãooooo!". E o cardeal pergunta novamente: "Há também lugar para os maus?"; e o povo, em uníssono: "Simmmmm!". "Aqui se expulsa alguém porque é mau? Ao contrário, a pessoa que pratica o mal é acolhida com mais amor. E quem nos ensinou a fazer isso? Jesus. Portanto, imaginem o quanto é paciente o coração de Deus com cada um de nós."

Na paróquia de padre Pepe, todos pensam dessa mesma maneira. A única coisa a fazer é manter as portas abertas a fim de tornar tudo mais fácil. "Aqui, todos sabem que durante todo o ano podem vir à paróquia e fazer a comunhão ou a crisma depois de algumas aulas de catecismo. Para os batismos, basta chegar quinze minutos antes da missa." Na última festa de São João Batista, mais de 150 adultos foram crismados.

"As pessoas trabalham de segunda a sábado. É preciso considerar que não se devem impor outras dificuldades às pessoas. Nós confiamos muito mais na ação da graça que na estratégia de estender os cursos de preparação."

É pela confiança na graça e pela "ligação" contínua com Nossa Senhora e com os santos que em torno ao trabalho de Pepe e dos outros jovens padres das favelas cresce em uma trama de vida surpreendente, um vórtice espumante de fatos, iniciativas, coisas a fazer. Só na Villa 21, catecismo para mil crianças e adolescentes que aderiram ao Movimento Exploradores (uma espécie de grupo salesiano local de escoteiros); oito refeitórios, apoio escolástico diário para 650 crianças, escolas de futebol, de música e de costura; casas de reabilitação para os jovens drogados e as crianças que vivem na rua, "e para os mais rebeldes", aqueles que não frequentam o catecismo, existe a *murga*, uma banda de dançarinos e tamborins ("mas começamos sempre com uma Ave Maria, e o uniforme é azul e branco, por serem as cores do manto de Nossa Senhora"); há, ainda, os retiros espirituais para os grupos de homens e mulheres, para as famílias... Uma rede de caridade transbordante e despreocupada onde há sempre tempo para tentar alguma coisa, e, realmente, há sempre alguma coisa para tentar ajudar alguém a não se perder e pedir que se reacenda a esperança em quem parece já estar perdido.

Por exemplo, em 2001, quando a economia argentina entrou em colapso, os efeitos nos habitantes das favelas foram devastadores. E até mesmo quando a economia começou a melhorar ninguém conseguia arranjar emprego, nem sequer uma *changa*, um bico em casas de pessoas mais abastadas, "porque ninguém quer saber das pessoas das favelas". Pepe e seus amigos perceberam que era preciso fazer alguma coisa. E assim, pedindo ajuda também à diocese de Como, nasceu a escola profissionalizante da Avenida Pepirí, onde quinhentos rapazes da favela estudam para se tornar eletricistas, marmoristas, mecânicos, forjadores, como também padeiros, preparando o pão da semana para os refeitórios da favela.

Agora, as energias estão concentradas no projeto de recuperação dos dependentes químicos: nos fins de semana, o grupo dos homens da paróquia sai da cidade em direção à fazenda, onde, entre uma missa e um churrasco, administram e cuidam dos jovens que ali estão para se desintoxicar. "A fazenda fica na estrada para Luján, perto do santuário" — diz Pepe. "Assim, Nossa Senhora também pode dar uma mãozinha."

O circuito de vida boa, que atravessa a favela, é todo entrelaçado ao redor das oito capelas, com seus murais coloridos, e das dezenas de altares que Pepe e seus amigos espalharam em ruelas e praças: uma rede de dezenas de locais onde é possível orar, oficiar uma missa, recitar rosários, e onde qualquer ocasião é boa para consagrar alguém — crianças, homens, mulheres, anciãos — a Nossa Senhora de Caacupé (paraguaia), a Nossa Senhora de Copacabana (boliviana), a Nossa Senhora de Luján ou a são Caetano, São Biágio, São João e São Pantaleão. A última vez foi com trinta casais, que Pepe havia chamado para um retiro espiritual de dois dias na Santa Casa da Avenida Independência:

> O bispo Óscar também estava presente. Oramos, celebramos a missa, falamos das alegrias

e das dores, e a seguir os casais foram consagrados à Nossa Senhora de Luján. Todos estavam comovidos. No fim, alguns deles me procuraram e pediram para que eu celebrasse seu casamento na igreja.

Porque "muitos casais na favela vivem juntos há muito tempo e criam seus filhos sem estar casados".

Para uma vida calma e tranquila

"Obrigado, Santo Expedito, por seus milagres", está escrito em uma faixa na entrada da favela, no bairro de Zavaleta. O soldado romano, o santo das causas urgentes, o santo para o qual todos correm quando quase não há mais tempo e a luz no fim do túnel está sumindo, sempre encontra novos amigos nas favelas e em toda a Buenos Aires. O milagre que pedem não é a revolução ou um mundo perfeito, mas apenas uma vida tranquila, a saúde da alma e do corpo, que tenham um emprego para o qual acordar cedo no dia seguinte e que os filhos não se percam no labirinto negro das drogas.

O *slogan* da paróquia é "Caacupé cala, reza e trabalha por seu bairro: *Ora et labora*". Tal como acontecia há trezentos anos nas aldeias jesuíticas dos Guarani, aqui também não é a miragem de um sonho a alcançar que colore os dias, mas as gotas de cotidiana caridade que invadem a rotina comum da vida. A caridade silenciosa e desmedida que, quase sem perceber, espalha à sua volta Chula, a mãe de cinco filhos que, em sua casa transformada em capela, prepara diariamente o lanche e o jantar de quarenta crianças da favela. "Estou cumprindo a promessa que fiz a São Caetano, caso meu marido arrumasse emprego." Ou a caridade de Pablo Ramos, que veio do Paraguai fugindo das torturas dos militares: "Fomos confundidos, pois pertencíamos à Juventude Franciscana e não fazíamos mal a ninguém". Ele, que queria se formar em arquitetura, não se queixa e agradece a Deus porque a favela lhe deu a oportunidade de construir a capela de São Braz, assim como lhe deu também dois novos filhos, seus dois filhos maravilhosos, "que quando olho para eles assim me dão força e vida também".

Enquanto isso, os missionários e as missionárias da paróquia distribuem nos casebres do bairro uma nova estatueta. Eles a chamam de *Cristo de la villa.* Foi desenhada pelos jovens marmoristas e escultores da escola de Pepirí "depois que os sectários da Igreja Universal" — conta Pepe — "passaram por aqui caluniando-nos, dizendo que nós pregamos um Cristo morto". A imagem foi também reproduzida no mural da igreja. Jesus sorri vitorioso e confiante enquanto seus pés pisam a cabeça de uma cobra. A mão que abençoa é dirigida ao céu, com o braço estendido, como fazem os jogadores de futebol quando marcam um gol. "Se Ele jogar conosco" — diz Pepe sorrindo —, "este ano também venceremos o campeonato."

AS AMEAÇAS DOS NARCOTRAFICANTES

"São padres que oram e trabalham"

Ele também os encontra, os pobres escravos do *paco*, a pasta base da cocaína (PBC), quando chega a pé a alguma favela para celebrar uma missa, batizar e crismar ou para festejar o santo padroeiro. De longe, eles percebem o colarinho branco e sabem que se trata de um padre, e então, começam a ridicularizá-lo dizendo: "Oi, padre, tem uma moeda para a coca?". Para Jorge Mario Bergoglio essa é a confirmação de que nesses lugares "eles dizem a verdade". Isso ocorre também quando pedem para sair do fundo obscuro de sua vida desastrada, e, a partir de então, tudo vai bem, mas que ninguém ouse tocar seus amigos padres de Buenos Aires, os padres que com eles convivem e lhes contam os milagres que o Senhor pratica também entre eles. Foi o padre Bergoglio que tornou públicas as ameaças de morte aos sacerdotes feitas por aqueles que ele chamou de mercadores das trevas.

O que aconteceu ao padre Pepe é um exemplo. O terrível fato aconteceu em uma noite, no final de abril de 2009. Padre Pepe estava voltando para casa montado em sua bicicleta, aquela com os adesivos do Huracán, o time que sempre se safa por um fio. De fato, os padres de Nossa Senhora de Caacupé zombam dele, pois são fãs do River ou do Boca Juniors. De repente, um homem aparece e lhe faz sinal para parar. "Você é o padre Pepe?" O padre nunca havia visto o indivíduo antes. Falava com sotaque portenho, da capital, e estava bem vestido. Não era um *cabecita negra* de Villa 21. Em poucas palavras, ele lhe disse que se não parasse de falar na televisão "*tú vas a ser boleta. Te la tienen jurada*" (Vai ser morto. Você está jurado).

Padre José Maria "Pepe" Di Paola entendeu logo qual era o problema. Antes da Páscoa, ele e os outros padres que trabalham nas favelas haviam escrito e publicado um documento para comunicar que em seus bairros o tráfico de drogas "não era penalizado de fato": que os narcotraficantes estavam transformando esses lugares cheios de gente pobre e indefesa em territórios fora de limites, terra de ninguém, onde podiam vender os resíduos da fabricação de cocaína. Uma derivação "brasileira" que faz que cresça, mês a mês, o número de mortos e feridos, de roubos e crueldades diárias.

— *Padre Bergoglio, por que o senhor optou por divulgar que um sacerdote seu foi ameaçado pelos traficantes de drogas?*

— Tomei a decisão na oração. Senti que esse era um problema de toda a Igreja local. E todos os fiéis devem saber. Fiz menção a isso durante uma homilia na missa celebrada para os diretores das escolas e das atividades educadoras, e falei também dos perigos que os jovens de hoje enfrentam, como as drogas. No final, apenas acrescentei que um padre havia sido ameaçado, sem sequer mencionar seu nome.

— Quem teve a sorte de conhecer padre Pepe e os padres que com ele trabalham sabe que são prudentes e realistas. Eles não fazem parte dos "padres de fronteira" ou dos "profissionais antidrogas". O que mudou? Por que eles foram ameaçados?

— Eles trabalham e não atacam ninguém. Fui eu quem disse que a droga é um perigo não somente nas favelas, mas em toda a cidade, durante aquela missa. Eu disse aos pais: olhem o que seus filhos estão fazendo, cuidem deles porque a droga está em todos os lugares, até mesmo às portas das escolas. Eles, os sacerdotes das favelas, trabalham também na prevenção da dependência química e na reinserção social dos jovens drogados. Há um mês, eles haviam redigido um construtivo e propositivo documento sobre o impressionante crescimento do tráfico de drogas. Os moradores de Villa 21 abriram, recentemente, três abrigos para jovens drogados. É possível deduzir que isso não agradou aos traficantes. Alguém deve ter ficado incomodado.

— *É notório que o senhor aprecia os sacerdotes que trabalham nas favelas e nos bairros operários.*

— Eles trabalham e oram. São padres que rezam e trabalham nas catequeses, nas obras sociais. É disso que eu gosto. A respeito desse pároco que foi ameaçado, dizem, e é verdade, que ele tem uma especial devoção a dom Bosco. É o próprio estilo desse santo que o anima.

— *Como reagiram os outros da diocese? Ciúmes?*

— De forma alguma! Mais de quatrocentos padres assinaram uma declaração a favor de seu irmão e a apresentaram em uma entrevista coletiva ao bispado. Uma iniciativa que tomaram espontaneamente, e não um subterfúgio tramado pelos bispos. Eles enxergaram esse evento como um exemplo de trabalho apostólico.

— *Sua preocupação com o trabalho pastoral nos bairros operários e nas favelas se tornou um ponto de referência para toda a diocese.*

— Sim, e eles estão satisfeitos. A sociedade e o governo também reagiram bem e a favor de Pepe.

— *Poderia haver quem preferisse a ocultação desses problemas que condenam as conivências e os partidarismos também por parte da política.*

— Na Igreja, uma maior sensibilidade surgiu há muito tempo com respeito a esse problema. Em 2008, a Conferência Episcopal apresentou uma declaração e outra foi feita pela Comissão de Pastoral Social. Depois, o bispo Jorge Casaretto, assessor da Comissão Nacional de Justiça e Paz, realizou uma pesquisa e falou várias vezes sobre o argumento. E, finalmente, chegou o documento desses padres das favelas, com a sucessiva ameaça que chamou a atenção de todos. Tudo isso para repetir que aquele documento não era um pronunciamento isolado, mas inserido em um movimento realizado por toda a Igreja na Argentina para dizer a todos: "Cuidado! Isso é um perigo!".

— *Mas a Igreja tem como dever principal a luta contra as drogas?*

— Certamente que não. Trata-se de um trabalho, uma obra pastoral, para pedir a conversão de todos, inclusive a dos traficantes.

SACRAMENTOS E REGRAS

"Não podemos fechar as portas da Igreja"

Um grupo de sacerdotes de Buenos Aires organizou-se para fazer todo o possível a fim de favorecer as pessoas na aproximação ao batismo, e encontraram no arcebispo um apoio natural e seguro.

— *Vários padres assumiram iniciativas para facilitar e incentivar a celebração de novos batizados. O que é que os move?*

— A Conferência do Episcopado Latino-Americano, ocorrida em maio de 2007 em Aparecida, reivindicou a divulgação do Evangelho saindo às ruas para falar com as pessoas e deixando de lado a poltrona confortável da cúria, sem esperar que elas venham até nós. No antepenúltimo parágrafo, o documento de Aparecida dá um salto de trinta anos para trás e volta à exortação apostólica *Evangelii nuntiandi*, de Paulo VI, que descreve o "fervor apostólico" como o "doce e confortante prazer de evangelizar", de "proclamar com imensa felicidade uma Boa Nova aprendida por misericórdia do Senhor". Mas isso não é expresso programando iniciativas ou eventos extraordinários. O próprio *Evangelii nuntiandi* repetia que "se o Filho veio à Terra, foi precisamente para nos revelar, mediante Sua palavra e Sua vida, os caminhos comuns da salvação". É o comum que é possível fazer em nossa condição de missionários, e, nisso, o batismo é paradigmático. Acredito que os párocos de Buenos Aires se moveram com e nesse espírito.

— *O senhor acredita que a pressa para facilitar o batismo esteja ligada a situações particulares e locais, ou é um critério que pode ser sugerido a todos?*

— A preocupação de favorecer, de todas as maneiras, a administração do batismo e dos outros sacramentos diz respeito a toda a Igreja. Se a Igreja segue seu Senhor, ela o faz por conta própria, com coragem e misericórdia; não fica reclusa em uma postura autorreferencial. O Senhor opera uma mudança naquele que Lhe é fiel. Ele faz que levante o olhar por si mesmo. Essa é a missão, esse é o testemunho.

— *Nos ditames sobre o batismo, preparados e distribuídos pela diocese de Buenos Aires, a Igreja está sujeita a possíveis críticas de quem diz que os sacramentos não são "vendidos" e que é preciso manter firmes os requisitos de preparação e disposição. Essas críticas são legítimas?*

— Não há nenhuma venda ou negociação. Os párocos observam as indicações recebidas dos bispos da região pastoral de Buenos Aires que respeitam todas as condições do códice do direito canônico, segundo o critério base expresso no último cânone; a lei suprema é a salvação das almas.

— *Segundo o senhor, justificam-se, de alguma forma, os casos nos quais é negado o batismo aos filhos porque os pais vivem uma situação matrimonial canonicamente irregular?*

— Para nós, isso seria fechar as portas da Igreja. A criança não tem nenhuma responsabilidade pelo estado civil de seus pais. Além disso, muitas vezes o batismo das crianças torna-se um novo começo para os pais, a quem proporcionamos uma curta catequese antes do batismo, que dura aproximadamente uma hora. E, a seguir, uma catequese mistagógica durante a liturgia. Depois, os sacerdotes e os laicos visitam essas famílias para poder dar continuidade à pastoral pós-batismo, e frequentemente acontece de os pais solteiros virem pedir para que os casemos diante do altar.

— *Às vezes acontece de os ministros e os operários pastorais assumirem certa atitude "patronal", como se o arbítrio de conceder ou não os sacramentos estivesse em seu poder.*

— Os sacramentos são gestos do Senhor. Não são serviços ou territórios a ser negociados ou conquistados. Em nossa tão vasta nação existem municípios ou vilarejos tão pequenos e de tão difícil acesso, que os padres são obrigados a programar suas visitas a uma ou duas vezes por ano. Mas a piedade popular sente que as crianças precisam ser batizadas o mais rapidamente possível, e então, sempre há um laico ou laica conhecido por todos como *batizantes*, que batizam as crianças quando nascem enquanto esperam pela chegada do padre. Quando o padre chega, os habitantes levam suas crianças para que sejam ungidas com óleo santo, encerrando a cerimônia. Quando penso nisso, surpreendo-me sempre com a história das comunidades cristãs do Japão que ficaram sem sacerdotes durante mais de duzentos anos. Quando os missionários voltaram, encontraram todos batizados, todos validamente casados pela Igreja e seus falecidos sepultados de maneira cristã. Os laicos que haviam continuado a obra dos missionários haviam sido só batizados, e, devido ao batismo, o trabalho apostólico não se perdeu. E, assim, por meio de seu batismo, eles também viveram sua missão apostólica.

— *Segundo algumas pessoas, sem base qualquer, o ritual sacramental tende a se tornar um ato de magia ou mecânico.*

— Ninguém disse para não realizar a catequese, preparar as crianças para a comunhão e a crisma. Mas é preciso sempre olhar para nossa gente da maneira com ela é e enxergar o que é mais necessário. Os sacramentos destinam-se aos homens e às mulheres assim como são, e embora não sejam grandes oradores, seu *sensus fidei* (o sentido da fé) capta a realidade dos sacramentos com muito mais clareza, o que não ocorre com tantos especialistas.

— *O senhor poderia contar algum episódio de sua experiência pastoral que evidencie esse* sensus fidei*?*

— A propósito, há alguns dias batizei sete filhos de uma só mãe, uma pobre viúva que trabalha como doméstica. Eu a conheci no ano passado na festa de São Caetano, quando me disse: Padre, pratiquei um pecado mortal. Tenho sete filhos que nunca levei à igreja para serem batizados. Isso acontecera porque ela não tinha dinheiro para pagar a festa e pela falta de tempo devido ao seu trabalho na casa dos patrões e em sua própria casa. Propus que ela fosse nos visitar para conversarmos a respeito. Mais tarde, ela me telefonou, combinamos e nos encontramos; disse que não conseguia encontrar todos os padrinhos e reuni-los... No final, eu lhe disse para celebrarmos o batizado com apenas dois padrinhos representando os outros. Todos compareceram à igreja, e depois de uma curta catequese, batizei seus filhos na capela do arcebispado. Após a cerimônia, fizemos um pequeno lanche com sanduichinhos e Coca-Cola. Ela, então, disse: Padre! Não estou acreditando. O senhor me faz sentir importante... E eu respondi: Mas, minha senhora, o que é que eu tenho a ver com isso? É Jesus quem a torna importante.

EVANGELIZAÇÃO E RELIGIOSIDADE POPULAR

"A fidelidade é sempre uma mudança"

Ele continua repetindo que "precisa voltar". Isso nada tem a ver com o ar de Roma, mas sente falta do ar de Buenos Aires. Sua diocese, que ele considera como sua "esposa", o está chamando. Quando está em Roma, o cardeal Bergoglio passa sempre correndo, mas, dessa vez, um ataque de ciática o obrigou a estender sua estada na Cidade Eterna para alguns dias de descanso. Além disso, ironia das circunstâncias, não lhe foi possível comparecer ao encontro com o Papa e com todos os cardeais reunidos em consistório, motivo pelo qual cruzara o oceano.

Conta como havia sido a Conferência de Aparecida na qual ele próprio presidiu o comitê de redação do documento final. Ele nos confidencia que no consistório de 2007, sua participação teria sido sobre esse assunto. E, com seu tom leve de falar, e ao mesmo tempo agudo e incisivo que surpreende, responde às nossas perguntas a esse respeito:

— *Eminência, no consistório o senhor falou de Aparecida. O que lhe representou essa V Conferência Geral do Celam, a instituição do episcopado latino-americano?*

— Foi um momento de graça para a Igreja latino-americana.

— *Entretanto, não faltaram polêmicas sobre o documento conclusivo...*

— O documento conclusivo, um ato do magistério da Igreja latino-americana, não sofreu nenhuma manipulação. Nem de nossa parte nem tampouco da Santa Sé. Houve alguns pequenos retoques de estilo, de forma, e algumas partes do texto foram retiradas para ser posicionadas em outra parte do mesmo texto. Portanto, a essência permaneceu idêntica e nada foi alterado. Isso ocorreu porque o ambiente que levou à redação desse documento foi de autêntica e fraterna colaboração e de respeito recíproco, o que caracterizou o trabalho, um trabalho movido de baixo para cima, e não vice-versa. Para poder entender esse ambiente é preciso olhar para três pontos que, para mim, são chave: as três colunas de sustentação de Aparecida. O primeiro é este: de baixo para cima. Talvez essa tenha sido a primeira vez que uma Conferência Geral nossa não foi iniciada por um texto antecipadamente preparado, mas por um diálogo aberto já iniciado entre o Celam e as Conferências Episcopais, e que continuou depois.

— *Mas as diretrizes da Conferência não haviam sido marcadas no discurso de abertura de Bento XVI?*

— O Papa apresentou indicações gerais sobre os problemas da América Latina, mas deixou tudo em aberto: "Façam vocês, façam vocês!". Isso foi muito nobre da parte dele. A Conferência foi iniciada com a exposição dos vinte e três presidentes das diversas Conferências Episcopais para, em seguida, abrir-se a discussão sobre os temas dos diferentes grupos. As fases da redação do documento também ficaram abertas para a contribuição de todos. No momento de recolher as sugestões para a segunda e terceira redações, acabamos recebendo 2.240! Nossa disposição foi de receber tudo que vinha de baixo, do povo de Deus, e tentar não fazer uma síntese, mas uma harmonia.

— *Um trabalho e tanto...*

— Eu disse "harmonia"; esse é o termo correto. Na Igreja, é o Espírito Santo que nos proporciona a Harmonia. Um dos primeiros Pais da Igreja escreveu que o Espírito Santo "*ipse harmonia est*", ele mesmo é Harmonia. Somente ele é autor, ao mesmo tempo, da pluralidade e da unidade. Somente o Espírito Santo pode promover a diversidade, a pluralidade, a multiplicidade e, ao mesmo tempo, a unidade. Porque quando somos nós a querer promover a diversidade acontecem os cismas, e quando somos nós a promover a unidade formamos a uniformidade, a homologação. Em Aparecida, colaboramos nesse trabalho do Espírito Santo, e no documento, bem lido, é possível perceber que há um pensamento circular e harmônico. Percebe-se a harmonia ativa e criativa que impulsiona a criatividade por ela ser do Espírito Santo.

— *E qual é o segundo ponto-chave?*

— É a primeira vez que uma Conferência do Episcopado Latino-Americano se reúne em um santuário mariano, lugar que, em si mesmo, proporciona todo o significado. Todas as manhãs recitamos as *laudes* e celebramos a missa junto com os peregrinos, os fiéis. No sábado e no domingo havia uma multidão. Celebrar a Eucaristia junto com o povo é diferente da celebração somente entre bispos. Percebemos, então, o sentido vivo da pertinência à nossa gente, da igreja que caminha como povo de Deus, de nós, bispos, como seus servidores. Depois, os trabalhos da Conferência se desenrolaram em um ambiente situado embaixo do santuário, onde era possível ouvir as orações e os cantos dos fiéis. No documento final há um ponto que diz respeito à piedade popular. São páginas belíssimas, e eu acredito, aliás, tenho certeza de que foram inspiradas por essa própria piedade. Depois das páginas escritas no *Evangelii nuntiandi,* são as mais bem escritas sobre a piedade popular em um documento da Igreja. Eu até ousaria dizer que o de Aparecida é o *Evangelii nuntiandi* da América Latina, ele é como o *Evangelii nuntiandi* original.

— *O* Evangelii nuntiandi *é um documento sobre o dom missionário?*

— É por isso que há uma estreita semelhança. E aqui eu chego ao terceiro ponto. O documento de Aparecida, em si mesmo, não foi exaurido, não foi encerrado e tampouco é o último passo, porque a abertura final é sobre a missão. O anúncio e o testemunho dos discípulos. Para poder permanecer fiéis é preciso sair. Permanecendo fiel é possível sair. É isso que, no fundo, diz Aparecida. É o coração da missão.

— *O senhor pode explicar melhor essa sua alegoria?*

— Permanecer, permanecer fiel implica uma saída. Ao permanecer propriamente no Senhor é possível sairmos de nós mesmos. Porque, paradoxal e propriamente, se permanecermos e se formos propriamente fiéis, poderemos mudar. Não se permanece fiel como os verdadeiros tradicionalistas ou os fundamentalistas. A fidelidade é sempre uma mudança, um desabrochar, um crescimento. O Senhor opera uma mudança naquele que Lhe é fiel. É a doutrina católica. São Vicente de Lerino faz a comparação entre o desenvolvimento biológico do homem, entre o homem que cresce, e a Tradição, que, ao transmitir de uma época a outra o *depositum fidei*, cresce e se consolida com o passar do tempo. "*Ut annis scilicet consolidetur, dilatetur tempore, sublimetur aetate.*"

— *Isso é o que o senhor apresentou ao consistório?*

— Sim. Eu falei a respeito desses três pontos-chave.

— *E nada mais?*

— Nada mais. Não, também fiz menção a duas coisas das quais, neste momento, há necessidade; há mais necessidade de misericórdia e de coragem apostólica.

— *O que elas significam para o senhor?*

— Para mim, a coragem apostólica é a de semear. Semear a Palavra. Transmiti-la àquele ou àquela a quem é dada. Transmitir-lhes a beleza do Evangelho, o estupor do encontro com Jesus... e deixar que o Espírito Santo faça o resto. É o Senhor, reza o Evangelho, que faz germinar e frutificar a semente.

— *Conclusão, é o Espírito Santo que cumpre a missão.*

— Os antigos teólogos diziam: a alma é um pequeno veleiro e o Espírito Santo é o vento que sopra as velas para que o barquinho siga adiante; os impulsos e os empurrões do vento são os dons do Espírito Santo. Sem seus impulsos, sem sua graça, não podemos seguir adiante. O Espírito Santo faz que entremos no mistério de Deus e nos salva do perigo de uma igreja gnóstica e de uma igreja autorreferencial, e nos leva à missão.

— *Isso significa invalidar também todas as suas soluções funcionalistas, seus planos consolidados e sistemas pastorais...*

— Eu não disse que os sistemas pastorais são inúteis. Ao contrário. Tudo que, em si mesmo, possa levar aos caminhos de Deus é bom. Eu disse aos meus sacerdotes: "Façam tudo o que devem fazer. Vocês já conhecem bem seus deveres ministeriais, assumam suas responsabilidades e, a seguir, deixem a porta aberta". Nossos sociólogos religiosos dizem que a influência de uma paróquia cobre um raio de seiscentos metros à sua volta. Em Buenos Aires há dois quilômetros entre uma igreja e outra. Então, eu disse aos sacerdotes: "Se puderem, aluguem uma garagem, e se encontrarem um laico disposto, façam que ali ele cumpra suas obrigações. Façam que ele fique um pouco com as pessoas, que faça um pouco de catequese e que dê a comunhão a quem a queira". E um pároco me disse: "Mas padre, se fizermos isso, as pessoas não irão mais à igreja". "Mas, por quê?", perguntei. "Eles agora estão indo para assistir à missa?" E ele respondeu que não. É isso. Sair de si mesmos é também sair do recinto da horta do fundo do quintal das próprias convicções consideradas inamovíveis, se chegarem a ser um risco de se tornar um obstáculo, se fecharem o horizonte que é de Deus.

— *Isso vale também para os laicos?*

— Sua clericalização é um problema. Os padres clericalizam os laicos e os laicos nos pedem que os clericalizemos. Essa é uma cumplicidade pecadora. E dizer que bastaria um batismo. Fico pensando naquelas comunidades cristãs do Japão que viveram mais de duzentos anos sem sacerdotes. A fé permaneceu intacta pelos dons da graça que haviam deleitado a vida desses laicos, pois haviam tão somente recebido o batismo; e, no entanto, viveram sua missão apostólica em virtude desse único batismo. Não é preciso temer depender de Sua ternura. Você conhece o episódio bíblico do profeta Jonas?

— *Conte-me, por favor.*

— Jonas tinha tudo bem claro em sua cabeça. Ideias claras a respeito de Deus, ideias muito claras sobre o bem e o mal. Sobre o que Deus faz e sobre o que Ele quer, sobre quais eram fiéis à Aliança. Ele tinha a receita de como ser um bom profeta. Deus irrompe em sua vida como uma torrente. Ele o encarrega de ir para Nínive, a cidade símbolo dos afastados, dos perdidos de todas as periferias da humanidade. De todos aqueles que são isolados da sociedade. Jonas viu que sua missão era apenas dizer a todos esses homens que os braços de Deus continuavam abertos, que a paciência de Deus estava sempre presente e que Ele estava à sua espera para curá-los com o Seu perdão e nutri-los com Sua ternura. Era somente para isso que Deus o enviara, mas Jonas parte rumo ao lado oposto, para Társis.

— *Uma fuga diante de uma missão difícil?*

— Não. Não era de Nínive que ele fugia, mas propriamente do amor desmedido de Deus pelos homens, o que não estava em seus planos. Deus viera uma vez... "deixa que eu me preocupe com o que fazer". Ele queria fazer tudo à sua maneira, queria planejar tudo. Sua pertinácia o enclausurava em suas avaliações estruturadas, em seus métodos preestabelecidos, em suas corretas opiniões. Ele havia cercado sua alma com o arame farpado dessas suas convicções, que no lugar de promover a liberdade com Deus e abrir horizontes de maiores serviços para com as pessoas, acabaram por ensurdecer seu coração, tal como a consciência isolada endurece o coração. Jonas esquecera e não sabia mais que Deus dirigia seu povo com coração de Pai.

— *Então é com Jonas que podemos nos identificar?*

— Nossas certezas podem se tornar uma parede, uma cadeia que aprisiona o Espírito Santo. Quem isola sua consciência do caminho do povo de Deus não conhece a felicidade do Espírito Santo que proporciona sustentação à esperança. É o risco que corre a consciência isolada. Aqueles que, no recluso mundo de suas Társis, se lamentam de tudo, ou, sentindo sua identidade ameaçada, envolvem-se em batalhas para, no fim, serem ainda mais auto-ocupados e autorreferenciais.

— Então, o que se deveria fazer?

— Não olhar para as pessoas como elas deveriam ser, mas como elas são realmente e ver o que é necessário, sem previsões ou receitas, mas com abertura generosa. É por meio das feridas e da fragilidade que Deus fala. Permitir que o Senhor nos fale... Em um mundo em que não conseguimos interessar com as palavras que expressamos, somente Sua presença e Seu amor que salva é que pode interessar. O fervor apostólico se renova em virtude dos testemunhos d'Aquele que nos amou por primeiro.

— Então, para o senhor, o que pode acontecer de pior à Igreja?

— É o que o teólogo de Lubac chama de "mundanidade espiritual". É o maior perigo para a Igreja, para nós que estamos e somos a Igreja. Dizia Lubac: "Ela é mais desastrosa que a lepra que desfigurara a esposa dileta no tempo dos papas libertinos". A mundanidade espiritual é colocar a si mesmo no centro. É o que Jesus presencia entre os fariseus: vocês que se autoglorificam. Vocês que dão glória a si mesmos, uns aos outros.

O IMPERIALISMO INTERNACIONAL DO DINHEIRO

"Aqueles pecados que clamam por vingança diante de Deus"

Em 2001, a crise econômica na Argentina chegou ao fundo do poço. Lembramos bem o ocorrido até na Itália, onde os investidores haviam arriscado investir nos "*tango bonds*", e que acabaram com um punhado de moscas nas mãos. A crise, naturalmente, provocou agitação social e manifestações populares.

Daqueles momentos dolorosos e prolongados, o cardeal Bergoglio não tem diante dos olhos a imagem barulhenta e irada dos panelaços da praça, mas a imagem íntima e cheia de dignidade humilhada das mães e dos pais que choram à noite, quando as crianças dormem e ninguém os ouve. "Eles choram como quando eram crianças e a mãe os consolava." Quem pode nos consolar são somente Eles: Deus, nosso Senhor e Sua Mãe.

Diante de um povo estrangulado pelos mecanismos anônimos e perversos da economia especulativa, até a pessoa sempre considerada gentil e reservada chega a usar palavras cortantes diante daquela situação.

— *Eminência, o que aconteceu na Argentina neste início de milênio?*

— A Conferência Episcopal descreveu na carta ao povo de Deus, publicada em 17 de novembro de 2001, os tantos aspectos dessa inédita crise: a concessão mágica do Estado, a dilapidação do dinheiro do povo, o liberalismo extremo mediante a tirania do mercado, a evasão fiscal, a falta de respeito da lei tanto em sua observância quanto na maneira de ditá-la e aplicá-la, a perda do sentido do trabalho. Resumindo, uma corrupção generalizada que solapa a coesão da nação e afeta o prestígio diante do mundo. Esse é o diagnóstico: que, no fundo, a raiz da crise argentina é de ordem moral.

— *A crise argentina também parece ser uma crise de sistema. Crise do modelo econômico imposto durante as últimas duas décadas.*

— Nessa época houve um verdadeiro terrorismo econômico-financeiro que produziu efeitos facilmente registráveis, como o aumento de ricos, o aumento de pobres e a drástica redução da classe média, assim como outros menos conjunturais, como o desastre no campo da educação. Nesse momento, na cidade e nas zonas residenciais ao redor de Buenos Aires vivem 2 milhões de jovens que não estudam e nem trabalham. Diante da maneira bárbara como foi implementada, na Argentina, a globalização econômica, a Igreja deste país sempre se recuperou por meio das indicações do magistério. Nossos pontos de referência são, por exemplo, os critérios expostos com clareza na exortação apostólica de João Paulo II, *Ecclesia in America.*

— *O senhor citou o magistério. Setenta anos atrás, na encíclica* Quadragesimo anno, *escrita pouco depois da crise de 1929, Pio XI havia definido "imperialismo internacional do dinheiro", o modelo de economia especulativa capaz de empobrecer de imediato milhões de famílias. Sua Eminência aplicaria essa definição à Argentina de hoje?*

— Trata-se de uma fórmula que nunca perde sua atualidade e contém uma raiz bíblica. Quando Moisés subiu ao monte para receber a Lei de Deus, o povo se voltou para a idolatria fabricando o bezerro de ouro. O atual imperialismo do dinheiro também mostra uma inequívoca imagem idólatra. É curioso como a idolatria anda sempre em companhia do ouro, e onde há idolatria anula-se Deus e a dignidade do homem, que é feito à Sua imagem. E assim, o novo imperialismo do dinheiro acaba com o trabalho, o meio pelo qual se expressa a dignidade do homem, sua criatividade, que é a criatividade de Deus. A economia especulativa não mais precisa do trabalho, pois não sabe o que fazer com ele. Persegue o ídolo do dinheiro que se autoproduz. É por isso que não há qualquer remorso ao transformar em desocupados milhões de trabalhadores.

— *Quão bem homens da Igreja tiveram a consideração de julgar o modelo econômico que ora causa tantos sofrimentos ao povo? E seus olhares de pastores sempre foram realistas?*

— A esse propósito, importantes são os documentos de Puebla. A Conferência dos Bispos Latino-Americanos, realizada no México, em Puebla, no ano de 1979, marcou um divisor de águas. Conseguiu-se olhar para a América Latina por meio do diálogo com sua própria tradição cultural. E também, com respeito aos sistemas políticos econômicos, o bem que se tinha no peito era o conjunto dos recursos religiosos e espirituais dos nossos povos que se expressam, por exemplo, na religiosidade popular que Paulo VI já exaltara na *Evangelii nuntiandi*. A experiência cristã não é ideológica. Ela é marcada por uma originalidade não negociável que nasce do estupor do encontro com Jesus Cristo. É isso que nosso povo mantém e manifesta na piedade popular. Tanto as ideologias de esquerda quanto esse imperialismo econômico do dinheiro, ora triunfante, anulam a originalidade cristã do encontro com Jesus Cristo que tantos do nosso povo ainda vivem em sua simplicidade de fé.

— *Na qualidade de pastor, como considera o papel desempenhado pela comunidade internacional e pelos órgãos financeiros centrais na crise argentina?*

— Não me parece que ponham o ser humano ao centro de suas reflexões, apesar de suas maravilhosas palavras. Eles indicam sempre aos governos suas rígidas diretrizes, falam sempre de ética, de transparência, mas, para mim, são como eticistas sem bondade.

— *A Igreja está interessada na crise da Argentina de diversas maneiras. Quais critérios orientam sua ação?*

— Ao envolver-se nessa tentativa comum de sair da crise tem-se presente o que ensina a tradição da Igreja, que reconhece a opressão do pobre e a fraude no salário dos operários como dois pecados que clamam por vingança diante de Deus. Essas duas fórmulas tradicionais têm uma total atualidade no magistério do episcopado argentino.

Estamos cansados dos sistemas que produzem pobreza para que, depois, a Igreja os sustente.

— *O envolvimento da Igreja na crise é expresso principalmente na ajuda concreta, material.*

— Apenas 40% dos recursos destinados pelo Estado às faixas mais necessitadas chegam a elas. O resto se perde no caminho. Tangentes. A Igreja criou, nas paróquias, uma rede capilar de refeitórios para as crianças e as pessoas que, em número cada vez maior, vivem nas ruas.

— *A hierarquia católica também aceitou sentar à mesa da reconciliação, mas evitou assumir um papel de entidade moralmente superior. "Todos pecamos", disse o presidente da Conferência Episcopal, Estanislao Esteban Karlic.*

— Somos parte do nosso povo. Participamos com ele do pecado e da graça. Só podemos anunciar a gratuidade do dom de Deus se a experimentarmos no perdão de nossos pecados. No ano 2000, a Igreja argentina realizou, até publicamente, um período de penitência e de pedido de perdão à sociedade, inclusive referindo-se aos anos da ditadura. Nenhum setor da sociedade argentina pediu perdão da mesma forma.

— *Na ampla participação eclesial no diálogo nacional não há o risco de protagonismo ou de deturpação da imagem da Igreja, tornando-a uma agência de consenso que fornece o rótulo cultural à identidade nacional?*

— A Igreja apresentou tão somente as declarações necessárias. Em 2001, foram cinco, muito fortes, e mais uma carta aberta ao povo de Deus. Nesses discursos convidava-se sempre a procurar um diálogo entre as partes da sociedade. Mas, como está escrito no documento da Conferência Episcopal de 14 de janeiro, "o diálogo entre os argentinos foi convocado pelo presidente da nação para reunir os setores representativos de todo o país (...) A igreja, de sua parte, oferece um âmbito que não é principalmente físico, mas espiritual, em total coerência com sua natureza, como ensina maravilhosamente a doutrina do Concílio Vaticano II. A Igreja, como instituição, não participa como membro a mais, mas como quem oferece um espaço de encontro". É bom que isso esteja claro. Não é a Igreja que convoca o diálogo e nem tampouco o dirige. Quem o convocou foi o presidente, com a assistência técnica das Nações Unidas. A Igreja oferece o âmbito para o diálogo, como alguém que oferece sua casa para que dois irmãos se encontrem para se reconciliar. Mas ela não é um setor, um *lobby*, uma parte que participa do diálogo ao lado de outros grupos de interesse e de pressão.

— *A classe dirigente encontra-se em total descrédito. Parece ter razão quem teoriza a eliminação da política e a desestruturação do Estado.*

— É preciso reivindicar a importância da política, mesmo que os políticos a tenham feito cair em descrédito, porque, como dizia Paulo VI, ela pode ser uma das formas mais altas de caridade. Em nosso país, por exemplo, a mentalidade funcionalista, ligada ao modelo econômico imperante, realizou suas experiências nos dois extremos da vida, as crianças e os idosos, as duas faixas etárias mais afetadas pela crise, provocando efeitos devastadores no campo da educação, da saúde e da assistência social. E um povo que não cuida de suas crianças e de seus idosos não tem esperança.

— *E como isso vai acabar?*

— Eu acredito em milagres, e a Argentina tem um grande e lindo povo. Esses recursos espirituais que nosso povo preserva já são um começo de milagre. Concordo plenamente com Alessandro Manzoni, que disse: "Nunca achei que o Senhor começaria um milagre sem concluí-lo bem". Minha esperança é que tudo acabe bem.

O DEVER DO BISPO SEGUNDO O PAPA FRANCISCO

"Arauto da esperança"

No Sínodo dos Bispos, em outubro de 2001, annus horribilis *(anos terríveis) para a Argentina, o cardeal Bergoglio era relator geral adjunto. Como tal, apresentou o discurso* Relatio post disceptationem. *O texto, por si mesmo, sintetiza o sentido dos discursos até aquele momento expressos durante os trabalhos, mas é fácil reconhecer o dedo do próprio autor e perceber nas entrelinhas o estilo com o qual o papa Francisco se apresentou ao mundo desde os primeiros momentos de seu pontificado. Nossa proposta é apresentar aqui algumas passagens do texto. (Texto integral em* www.vatican.va).

O bispo em comunhão com o Senhor

Homem de oração

A força da Igreja é a comunhão, sua fraqueza é a divisão. O bispo com essa força procura estar disponível a Deus, consciente de seu chamado para ser um homem santo e diligente. Somente o bispo que está em comunhão com Deus pode estar a serviço da esperança. Somente quando ele for introduzido na nuvem impenetrável, mas luminosa do mistério trinitário, Pai, Filho e Espírito Santo. O bispo é quem pode receber, de maneira mais evidente, os sinais de seu ser, na Igreja, como pai, irmão e amigo. O bispo é chamado para entrar em Seu mistério para poder exercer seu ministério e seu carisma: seu sentido do martírio.

Na celebração da Eucaristia, na oração, na reflexão e no silêncio, ele adora e intercede por seu povo.

Sentindo-se pecador, ele aborda com frequência o sacramento da reconciliação; consciente das maravilhas realizadas pelo Senhor na história, ele celebra as *laudes* cotidianas na liturgia das horas.

Chamado para ser santo

A ordenação episcopal não é um simples ato jurídico por meio do qual se confere a um presbítero uma jurisdição mais ampla, mas uma ação de Cristo que, doando o Espírito do sumo sacerdócio, santifica o ordenando no momento em que este recebe o sacramento, e que, por si mesmo, exige para si todas as ajudas de graça das quais necessita para o cumprimento de sua missão e de seus deveres. A consequência é que todo bispo se santifica justamente no e com o exercício de seu ministério.

Para os fiéis, todo bispo deve ser o modelo de uma vida santa e o primeiro mestre e testemunha da pedagogia da santidade que João Paulo II escreveu na carta apostólica *Novo millennio ineunte.* Por outro lado, todo bispo, considerando não apenas a inteira história da Igreja, como também a da própria diocese, encontra-se como que envolvido por uma multidão de testemunhas que traçam seu caminho. A vida santa do bispo, em última análise, é um testemunho (*martyrion*), que, oferecido a Cristo, procura com humildade uma mística identificação com o Bom Pastor que doa a vida para seu rebanho (cf. João 15:13).

A vida de um bispo, em todo tempo e situação, desenrola-se sob o olhar do Senhor que abraça a cruz, de maneira que sua santidade é expressa em duas paixões: a paixão pelo Evangelho de Jesus Cristo e o amor por seu povo que precisa da salvação. São paixões que se manifestam na bondade e na suavidade das beatitudes. Paixões enraizadas na consciência de seu nada, de seu ser um pecador que recebeu o dom da graça por ter sido eleito pela imensa bondade do Pai.

Pobre para o Reino

Um dos aspectos mais enfatizados pelos padres sinodais com respeito à santidade do bispo é sua pobreza. Homem de coração pobre, é a imagem de Cristo pobre, imita Cristo pobre, sendo pobre com um discernimento profundo. Sua simplicidade e austeridade de vida lhe conferem uma completa liberdade em Deus. O santo padre nos convidava a fazer um exame de consciência "com relação à nossa atitude para com os bens terrenos e quanto ao uso que fazemos deles (...), de verificarmos até que ponto existe na Igreja a conversão individual e comunitária para uma efetiva pobreza evangélica (...) de sermos pobres a serviço do Evangelho". Com essas últimas expressões, João Paulo II nos lembra que se trata de perseguir o radicalismo evangélico pelo qual beato é quem se faz pobre em vista do Reino, para colocar-se na sucessão de Jesus-Pobre, para viver na comunhão com os irmãos segundo o modelo da apostólica *vivendi forma,* testemunhada no livro dos Atos dos Apóstolos.

O bispo a serviço da comunhão na Igreja universal

A abertura missionária do bispo

Os bispos, como membros do Colégio Episcopal, foram consagrados não somente para uma diocese, mas para a salvação de todos os homens. Essa doutrina, ensinada pelo Concílio Vaticano II, foi citada para lembrar que todo bispo deve ser consciente da natureza missionária do próprio ministério pastoral. Toda atividade pastoral na própria diocese é conformada de espírito missionário, preocupada de suscitar, promover e dirigir as obras de evangelização, de modo a encorajar e conservar sempre vivo o ardor missionário dos fiéis, na confiança que se converterá em respostas à vocação missionária.

Também é importante apoiar a obra missionária por meio da cooperação econômica. Porém, não menos importante, como se afirmou, é encorajar a dimensão missionária na própria Igreja particular, promovendo, segundo as diversas situações, os valores fundamentais como o reconhecimento do próximo, o respeito à diversidade cultural e uma interação sadia entre as diversas culturas.

Por outro lado, o caráter cada vez mais multicultural de nossas cidades e sociedades, sobretudo como consequência das migrações internacionais, estabelece novas e inéditas "situações missionárias" e constitui um particular desafio missionário.

O bispo a serviço da comunhão na Igreja particular

Mestre de oração

Como parte do povo de Deus, o bispo representa, além disso, uma presença sacramental no seio de seu povo, que ele guia com coração paterno. É um homem disponível para seu povo, conhece seu rebanho, e a proximidade com seu povo inspira-lhe atitudes de compreensão e de compaixão; ora com seu povo e como seu povo, ensina a orar e dirige a oração dos fiéis. Nisso ele se apresenta como um verdadeiro pastor que cuida da dignidade da celebração e da fidelidade aos ritos da Igreja, também vigiando para que não haja abusos. Nesse sentido se enfatizou a importância da piedade popular na qual são expressos um profundo humanismo e cristianismo sólidos, e implica alguns valores profundos.

Mestre da fé

O ritual da imposição do livro dos Evangelhos, cumprido por todos nós durante a celebração da ordenação episcopal, significa tanto nossa pessoal submissão ao Evangelho quanto o exercício de um ministério a ser sempre desenvolvido, assim como *usque ad effusionem sanguinis, sub Verbo Dei.* Trata-se de ser "anunciadores pacíficos e corajosos do Evangelho". O mesmo gesto nos lembra, também, que nós mesmos somos confiados "ao Senhor e à palavra de sua graça" (Atos 20:32). Como é possível ler na significativa história do adeus do apóstolo são Paulo a Mileto. É por isso que todo bispo tem o dever de dar amplo espaço em sua vida espiritual à oração, à meditação e à *lectio divina.*

O bispo exerce sua função magisterial dentro do corpo episcopal, em comunhão hierárquica com o chefe do Colégio e com os outros membros. Além disso, é ele quem guarda com amor a Palavra de Deus e a defende com coragem, quem proclama e presta testemunho da Palavra que salva. O bispo é o primeiro catequista em sua Igreja particular, e, por conseguinte, também tem o dever de conseguir colaboradores válidos, promovendo e cuidando da formação doutrinal de seus seminaristas e sacerdotes, dos catequistas, como também dos religiosos e das religiosas, e dos fiéis laicos. Também não deve descuidar do dever de dar aos teólogos "o encorajamento e o apoio que os ajudem a praticar seu trabalho na fidelidade à tradição e no atendimento às emergências da história".

Amante dos pobres

Sua fidelidade ao Evangelho e seu amor pelo espírito de pobreza levam o bispo a uma predileção pelos pobres que é o núcleo central da Boa Nova de Jesus, que Ele caminha junto a eles. O bispo não esquece que, no dia de sua consagração episcopal, foi interrogado sobre sua intenção de guiar os pobres; está aprendendo a olhar as pessoas tal como Jesus fazia. Ele é pai e irmão dos pobres de sua diocese. Sua contemplatividade e sua caridade pastoral o levam a descobrir os novos rostos que hoje, na vida moderna, assumiram "a viúva, o órfão e o estrangeiro" das Escrituras. O bispo sabe que Jesus foi a compaixão de Deus para com os pobres, e, por meio d'Ele, entra na vida dos pobres.

Inculturação

Exercendo seu serviço de *magister fidei* e *doctor veritatis*, o bispo também contribui, de sua parte, com o processo de inculturação. A expressão do santo padre foi repetida, e, segundo ele, "uma fé que não se torne cultura é uma fé não plenamente acolhida, não inteiramente pensada e fielmente vivida". Esse processo, como bem sabemos, não consiste em uma simples adaptação externa, mas, como se disse no Sínodo de 1985 e retomado por João Paulo II, significa "uma íntima transformação dos autênticos valores culturais mediante sua integração no cristianismo, e o enraizamento do cristianismo nas diversas culturas". O bispo, em todos os casos, deverá ter sempre bem presentes os dois princípios fundamentais que orientam esse processo de inculturação e que são compatíveis com o Evangelho e com a comunhão junto à Igreja universal.

O bispo a serviço da comunhão no mundo

Missionariedade

A Igreja é o "pequeno rebanho" que continuamente sai de si mesma para a missão, e o bispo, homem de Igreja, também sai de si mesmo para anunciar Jesus Cristo ao mundo. É um "andarilho" e se exprime com gestos que falam. Ele não deve se deixar bloquear por uma Igreja às vezes paralisada pelas próprias tensões internas. Encarna a aproximação da Igreja aos homens do nosso tempo, no radicalismo do testemunho a Jesus Cristo.

Ao sair de si mesmo para anunciar Jesus Cristo, o bispo encarrega-se de sua missão, da maneira como age o pontífice em tempos de conflito, uma ponte para a paz. Seu papel profético anuncia, ainda, a revelação de Jesus Cristo em uma época como a nossa, marcada por uma crise de valores, na qual estão ausentes; ou, ao contrário, defendem-se os antivalores, e onde, no seio da própria Igreja, existem processos de autossecularização e de ambivalência. Com a paixão do pastor que sai à procura de sua ovelha perdida e que não é do seu rebanho, o bispo desmascara as falsas antropologias, resgata os valores esmagados pelos processos ideológicos e sabe discernir a autêntica verdade: que o Verbo "veio na carne" (1 João 4:2), evitando que a presunção humana a desnude e a transforme em uma visão cósmica, gnóstica ou neopelagiana da realidade.

O bispo operador de justiça e de paz

Hoje, a guerra dos poderosos contra os fracos abriu uma fenda entre ricos e pobres. Os pobres são legiões. Diante de um sistema econômico injusto, com dissonâncias estruturais muito fortes, a situação dos marginalizados torna-se cada vez pior. Hoje há fome. Os pobres, os jovens, os refugiados, são as vítimas dessa "nova cultura". Em muitos lugares a mulher também é inferiorizada e objeto da cultura hedonista. O bispo precisa incessantemente pregar a doutrina social que deriva do Evangelho e que a Igreja tornou manifesta desde o período dos primeiros padres, doutrina social capaz de suscitar esperança porque nossos irmãos na filiação divina, e nós mesmos, devemos ter em conta o fato que, se não houver esperança para os pobres, também não haverá para os ricos.

O bispo promotor do diálogo

Em diversas ocasiões se observou que o bispo também ajuda com seu ministério a comunhão entre os homens, respeitando sua fé, suas tradições e aproximando, qual artífice do diálogo, posições de confronto ou simplesmente opostas. A esse respeito, enfatizou-se o papel fundamental que o bispo deve ocupar na promoção do diálogo inter-religioso. Alguns padres levantaram a necessidade de insistir nas relações com o Islã.

O bispo arauto da esperança

A missionariedade do bispo no mundo difunde a esperança. Dizem que o mundo atual é um cenário de desespero porque, na verdade, uma cultura imanentista marginaliza qualquer esperança autêntica. Os marginalizados, desiludidos com seus chefes, recorrem a Deus; confiam em seus pastores e depositam suas esperanças na Igreja. Aqui, é possível ver a coragem apostólica do bispo, verdadeiro emissário da esperança, que recebe tanto quanto espera; porque sem esperança toda a ação pastoral do bispo seria estéril. O bispo, diante do mundo, deve anunciar Deus em Cristo, um Deus de semblante humano, um "Deus conosco", porque a certeza de sua fé cria esperança nos outros.

Nota biográfica

A partir de 13 de março de 2013, o cardeal Jorge Mario Bergoglio é bispo de Roma e sumo pontífice da Igreja universal.

Até o momento da eleição, Bergoglio, jesuíta, era arcebispo de Buenos Aires (Argentina), cidade onde nasceu a 17 de dezembro de 1936. Estudou e diplomou-se como técnico químico para, depois, escolher o sacerdócio e entrar no seminário de Villa Devoto. Em 11 de março de 1958, passou para o noviciado da Companhia de Jesus, cumpriu estudos humanísticos no Chile e, em 1963, de volta à Argentina, diplomou-se em filosofia pela Faculdade de Filosofia do colégio Máximo San José, de San Miguel.

Entre 1964 e 1965, foi professor de literatura e de psicologia no colégio da Imaculada de Santa Fé, e em 1966 passou a lecionar as mesmas matérias no colégio Del Salvatore de Buenos Aires.

De 1967 a 1970, estudou teologia na Faculdade de Teologia do colégio Máximo San José, de San Miguel, onde se diplomou.

Em 13 de dezembro de 1969, foi ordenado sacerdote.

Em 1970-71, terminou o terceiro *probandado* (período que precede o noviciado) em Alcalá de Henares (Espanha), e a 22 de abril de 1973, foi introduzido em sua missão perpétua.

Foi professor de noviços em Villa Barilari, San Miguel (1972-1973), professor da Faculdade de Teologia, consultor da província e reitor do colégio Máximo. A 31 de julho de 1973, foi eleito provincial da Argentina, cargo que exerceu durante seis anos.

Entre 1980 e 1986, foi reitor do colégio Máximo e das faculdades de filosofia e de teologia do mesmo colégio e pároco da paróquia do Patriarca São José, na diocese de San Miguel.

Em março de 1986, viajou para a Alemanha para apresentar sua tese de doutorado. Logo em seguida, foi designado por seus superiores ao colégio Del Salvatore, de onde passou para a igreja da Companhia, na cidade de Córdoba, como diretor espiritual e confessor.

A 20 de maio de 1992, João Paulo II nomeou-o Bispo titular de Auca e auxiliar de Buenos Aires. A 27 de junho do mesmo ano, ele recebeu, na catedral de Buenos Aires, a ordenação episcopal pelas mãos do cardeal Antonio Quarracino, do núncio apostólico monsenhor Ubaldo Calabresi e do bispo de Mercedes-Luján, monsenhor Emilio Ogñénovich.

A 3 de junho de 1997, foi nomeado arcebispo coadjuvante de Buenos Aires, e a 28 de fevereiro de 1998 arcebispo de Buenos Aires, por sucessão à morte do cardeal Quarracino.

É autor de vários livros, dentre os quais: *Meditaciones para religiosos,* de 1982; *Reflexiones sobre la vida apostólica,* de 1986; e *Reflexiones de esperanza,* de 1992.

É padre ordinário para os fiéis de rito oriental residentes na Argentina que não podem contar com um padre ordinário de seus ritos. Grão-chanceler da Universidade Católica Argentina.

Relator geral adjunto na X Assembleia Geral Ordinária do Sínodo dos Bispos (outubro de 2001).

De novembro de 2005 até novembro de 2011, foi presidente da Conferência Episcopal Argentina.

Foi criado e anunciado cardeal no Consistório San Roberto Bellarmino pelo beato João Paulo II, em 21 de fevereiro de 2001.

Jorge Bergoglio é membro:

- Das Congregações para o Culto Divino e a Disciplina dos Sacramentos; para o Clero; para os Institutos de Vida Consagrada e as Sociedades de Vida Apostólica;
- Do Pontifício Conselho para a Família;
- Da Pontifícia Comissão para a América Latina.